CW00435483

NOAH ET L'ÉNIGME DU GHOST TRAIN

Tip
TONGUE

DES ROMANS QUI PASSENT PETIT À PETIT EN ANGLAIS

Tip Tongue, c'est un voyage en immersion

Le héros, un jeune Français comme le lecteur, part en voyage dans un pays étranger et vit une aventure aux côtés de personnages qui parlent… anglais. Comme dans la vraie vie !

Avec Tip Tongue, lire de l'anglais devient naturel

Pas besoin de dictionnaire ! Au début du roman, la langue étrangère se trouve seulement dans les dialogues, puis elle entre petit à petit dans la narration. Le lecteur comprend tout grâce aux stratégies des personnages pour communiquer. Le dernier chapitre est à 100 % en anglais.

L'audio-book

Chaque titre offre une version intégrale audio téléchargeable. Un véritable bain de langue avec des accents authentiques pour découvrir comment se prononce un mot en langue étrangère au moment où on le lit !

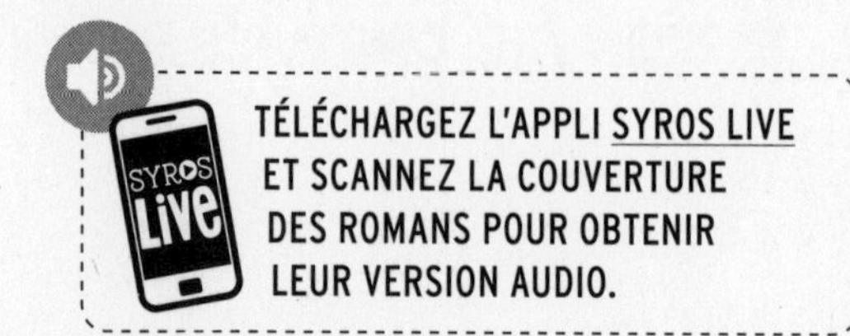
SYROS
Live
TÉLÉCHARGEZ L'APPLI SYROS LIVE
ET SCANNEZ LA COUVERTURE
DES ROMANS POUR OBTENIR
LEUR VERSION AUDIO.

Tip Tongue se décline en anglais, espagnol, allemand... et pour tous les âges, de 8 à 17 ans.

La collection a obtenu en 2015 le **Label européen des langues**, récompensant l'excellence en matière d'apprentissage innovant. Chaque roman correspond à un niveau cible du **CECRL** (Cadre européen commun de référence pour les langues), sur lequel sont basés les programmes scolaires :

A1 (primaire et 6e), A2 (collège), B1 (lycée).

Se passionner

S'immerger

S'amuser

Être en empathie avec les personnages

Partager

Être encouragé, motivé

Être bienveillant

Répéter

Être créatif

Lire de bonnes histoires

S'améliorer

TIP TONGUE, C'EST UN ÉTAT D'ESPRIT : PLAISIR, CURIOSITÉ, CONFIANCE EN SOI !

Une collection dirigée par Stéphanie Benson

Label européen des langues

En partenariat avec l'UFR Langues et Civilisations
Université Bordeaux-Montaigne.

www.tiptongue.u-bordeaux-montaigne.fr

Illustrations de Julien Castanié

ISBN : 978-2-74-851696-8

STÉPHANIE BENSON

NOAH ET L'ÉNIGME DU GHOST TRAIN

SYROS

Chapter One

THE CORRESPONDENT

– Don't forget your letter, young man! dit l'hôtesse de l'air en tendant à Noah l'enveloppe rose qui contenait la lettre de son correspondant irlandais.

Ou de *sa* correspondant*e* irlandais*e*, pour être précis. Pas exactement ce que Noah avait espéré.

Et, pourtant, tout avait si bien démarré...

Quand, en début d'année de sixième, leur professeur d'anglais, Mr McLuckie, avait annoncé que le projet de classe était de préparer un voyage en Irlande, Noah avait sauté de joie. Lorsqu'ils avaient décidé de privilégier l'échange avec des correspondants d'un collège dublinois, il s'était imaginé rencontrer un complice, un ami pour la vie qui partagerait ses goûts et ses passions. Il avait rêvé de cet étranger si proche pendant toute une semaine en attendant l'accord du collège Newpark, au sud de Dublin. Puis la mauvaise nouvelle était tombée. S'il y avait, dans la classe irlandaise qui acceptait de correspondre avec eux, le même nombre d'élèves que dans la leur, les filles étaient en revanche plus nombreuses du côté des Irlandais. Il fallait donc tirer au sort pour savoir lesquels des garçons auraient une correspondante.

Évidemment, c'était tombé sur Noah, lui qui était fils unique, qui n'avait ni cousin ni aucun jeune de son âge dans la famille. Certes, il avait des copains au collège, mais ce n'était pas pareil. Il aurait tellement aimé trouver enfin un frère...

Noah tendit la main et remercia l'hôtesse de l'air, comme il l'avait appris :

– Thank you very much.

– You're welcome, young man, répondit-elle en souriant. Enjoy your time in Dublin!

« You're welcome », Noah connaissait, c'était l'anglais pour « je vous en prie ». Et « young man », c'était lui : un « jeune homme ». En revanche, le reste, prononcé avec un doux accent chantant, lui avait échappé.

– « Enjoy » means « have fun », dit Mr McLuckie, juste derrière lui. « Fun » is « amusing ».

Cette fois, Noah comprit. L'hôtesse lui souhaitait de bien s'amuser pendant le temps qu'il allait passer à Dublin.

– Thank you! répéta-t-il en glissant la lettre dans sa poche.

Puis il suivit ses camarades jusqu'à l'escalier qui descendait vers le tarmac de l'aéroport.

Sa correspondante s'appelait Fiona O'Leary et elle avait le même âge que lui, mais c'était à peu près tout ce qu'il savait d'elle. Son courrier de présentation avait été plus que succinct :

Dear Noah,

My name is Fiona O'Leary and I'm eleven years old. I go to Newpark Comprehensive School in Blackrock, South Dublin. I live in Blackrock, near the sea. I'm looking forward to meeting you in March.

Best wishes,

Fiona

Ils avaient passé du temps en classe à travailler sur les courriers des correspondants, ainsi Noah avait appris que « dear » en début d'une lettre voulait dire « cher » ou « chère ». C'était la même chose que l'on s'adresse à une fille ou à un garçon, parce qu'il n'y avait pas de masculin ou de féminin pour les adjectifs en anglais. « Name » signifiait « nom », et « I'm eleven years old », « j'ai onze ans ». En anglais, on utilisait le verbe être, « to be », pour dire son âge, contrairement au français où l'on *avait* son âge, on ne l'était pas. Mais Mr McLuckie avait expliqué que, si les verbes « avoir » et « être » jouaient un rôle essentiel dans beaucoup de langues, ils ne s'utilisaient pas forcément de la même manière qu'en français. Il fallait simplement garder l'esprit ouvert et éviter d'essayer de traduire mot à mot.

Ensuite, Fiona lui écrivait où elle allait à l'école, « go to school », et où elle habitait, « live ». Ils avaient affiché une carte de Dublin dans la classe et avaient placé dessus des petits drapeaux avec les noms de leurs correspondants. Fiona n'habitait pas très loin du collège et près d'une grande étendue bleue (sur la carte, en tout cas) appelée Irish Sea. La mer d'Irlande, avait expliqué Mr McLuckie.

La dernière phrase avait posé plus de problèmes à Noah, mais comme beaucoup de correspondants avaient terminé leur lettre par la même, ils avaient réfléchi ensemble à ce que cela pouvait bien vouloir dire.

« To look » était l'équivalent de « regarder ». « Forward » signifiait « en avant ». Après avoir émis toutes sortes d'hypothèses avec l'aide de leur professeur, ils avaient supposé que « to look forward to » avait un sens proche de « se projeter dans le futur », et Timothée avait fini par suggérer « avoir hâte de ». Mr McLuckie avait applaudi. Noah s'était alors dit amèrement que si Fiona avait hâte de le rencontrer en mars, il ne pouvait pas en dire autant.

S'il avait su quelle aventure il s'apprêtait à vivre en sa compagnie, il n'aurait certainement pas fait preuve de tant de mauvaise volonté. Mais il n'avait pas encore rencontré Fiona. Comment aurait-il pu savoir ?

Dear Noah,

My name is Fiona O'Leary and I'm eleven years old. I go to Newpark Comprehensive School in Blackrock, South Dublin. I live in Blackrock, near the sea. I'm looking forward to meeting you in March.

Best Wishes,
Fiona

NEWPARK

Chapter Two

THE O'LEARY FAMILY

Un car attendait pour les emmener jusqu'au collège de Newpark. Noah vit d'abord des arbres qui entouraient une énorme pelouse verte, puis des bâtiments gris clair à trois étages, puis un autre bâtiment à un étage un peu en retrait.

Le jeune garçon suivit ses camarades et son professeur vers une salle grande comme un théâtre, où patientaient une trentaine de familles venues récupérer leur correspondant. On avait disposé sur le côté des chaises vers lesquelles se dirigèrent les Français. Mr McLuckie alla rejoindre le principal du collège irlandais sur la scène, devant un microphone.

– Hello to all our French friends, dit le principal en souriant au professeur d'anglais.

Noah sourit aussi. Il avait compris que le principal disait bonjour à tous leurs amis français.

– I'm sure you're all impatient to meet your families, reprit-il quand les applaudissements se calmèrent.

Cette fois, Noah était moins à l'aise, mais il avait reconnu « sure », « impatient » et « familles » qui ressemblaient beaucoup au français et voulaient dire la même chose, et il connaissait le verbe « to meet » depuis les échanges de courriers. Déduction faite, le principal était certain qu'ils étaient tous impatients de rencontrer leur famille. Bof. Pas trop.

– So we're going to announce the names of the French correspondents and Irish families, and you can all go home. Tomorrow morning, we meet here at nine, termina-t-il.

– Nous allons appeler les noms des correspondants français et des familles irlandaises, et vous pourrez tous rentrer chez vous, traduisit Mr McLuckie. Demain matin, nous nous retrouverons ici à neuf heures.

Le principal se mit à appeler des noms irlandais, Mr McLuckie appela des noms français, et les familles repartirent l'une après l'autre avec leur jeune invité. Noah attendait en essayant de deviner quelle était la famille O'Leary. Contrairement à beaucoup de ses camarades, Fiona n'avait pas envoyé de photo, et Noah redoutait le pire. Il tenta de repérer la fille la moins jolie en se disant que c'était elle, sa correspondante, pour éviter d'être trop déçu, mais il dut renoncer en constatant finalement que les filles étaient plutôt jolies. Il y avait beaucoup de rousses avec des taches de rousseur partout sur le visage, qui correspondaient bien à l'image qu'il se faisait d'une Irlandaise, mais lorsque le principal appela « Fiona O'Leary » et son prof « Noah Picard », il dut se rendre à l'évidence : toutes les Irlandaises n'étaient pas rousses.

Fiona était petite et mince, avec des cheveux noirs coupés court et en bataille, et des yeux verts qui scintillaient d'espièglerie. Elle était habillée d'un jean usé et d'un pull qui avait vu des jours meilleurs. Ses baskets étaient passablement boueuses. Elle avança vers Noah d'un pas décidé et lui tendit la main. Quand il tendit la sienne, il fut surpris de l'énergie avec laquelle elle broya ses doigts en guise de salut.

– Hi, I'm Fiona, dit-elle sans s'attarder davantage. Come on, hurry up, we have to go. I've got a football match.

Noah n'en crut pas ses oreilles. Avait-il bien compris ? Elle voulait qu'il se dépêche parce qu'elle devait aller jouer au football ?

72

Chapter Three

FOOTBALL FIONA

Noah suivit Fiona en direction de sa famille, mais elle poursuivit son chemin sans faire de présentations et se dirigea à grandes enjambées vers la sortie.

Sa mère, une jolie femme brune à qui Fiona ressemblait beaucoup, haussa les épaules et sourit à Noah.

– Sorry, Noah, but Fiona has a football match, and football means everything to her.

« Everything » ? Tout ? Le football représentait tout pour Fiona ? Noah n'avait jamais même imaginé qu'une fille puisse aimer le football par-dessus tout, et il se sentit beaucoup plus proche de Fiona O'Leary qu'il l'aurait cru possible.

– Come on then, let's hurry or Fiona will drive the car herself and abandon us here! dit Mrs O'Leary en mimant Fiona en train de conduire la voiture, les abandonnant sur le parking.

Noah avait compris « come on », qui voulait dire « viens », et « hurry », « se dépêcher ». La fin de la phrase ne lui parut pas évidente, mais il devina grâce à ses gestes que Mrs O'Leary craignait que Fiona ne parte toute seule avec la voiture s'ils ne se dépêchaient pas. Il suivit donc la mère de Fiona pendant que son père, un homme blond musclé avec un grand sourire et des yeux très bleus, se saisissait de sa valise et la soulevait sans effort. Deux filles plus jeunes, le reste de la famille certainement, se mirent à courir derrière leur grande sœur.

– Hi, I'm Niamh, dit la plus petite.

Noah se contenta de hocher la tête.

– Hi, I'm Saoirse, dit l'autre.

Niamh ressemblait à Fiona et à leur mère, tandis que Saoirse avait les cheveux et les yeux de son père. La prononciation des deux prénoms posa de tels problèmes à Noah qu'il ne tenta même pas de les retenir, mais il rangea les filles dans sa tête sous les étiquettes de « sœur brune » et « sœur blonde ».

Ils arrivaient sur le parking. Les deux jeunes sœurs montèrent à l'arrière d'une voiture à sept places où un autre membre de la famille attendait, le regard rivé sur une console électronique. Il leva les yeux pendant une seconde ou deux, le temps de voir à quoi Noah ressemblait, puis les baissa de nouveau en murmurant :

– Hi.

– His name's Darragh, dit Niamh, but right now he's probably some elf king who can't be bothered with simple mortals like us.

Noah était définitivement perdu. Il haussa les épaules et s'assit à droite de Darragh tandis que Fiona se glissait de l'autre côté.

– Did you understand? demanda-t-elle.

Non, Noah n'avait pas compris. Il secoua la tête.

– My sister Niamh told you our brother's name, dit Fiona lentement en montrant son frère. He's called Darragh. Can you say that?

– Darragh, répéta Noah.

– Very good. And Niamh?

Il répéta le nom bizarre dont la prononciation ressemblait à « Niva », puis celui de la sœur Saoirse, qui se prononçait « Cercha », un peu comme le début du mot « cerise » et le début du mot « chat ».

– Great. Now Niamh was making fun of Darragh, okay (et elle mima quelqu'un qui se moque en pointant Darragh du doigt) ? Because he plays video games. She said he's not Darragh now, but an elf king. You know « elf » (et elle tira sur le haut de ses oreilles pour les faire ressembler à des oreilles d'elfe) « king » (puis dessina une couronne sur sa tête pour lui faire comprendre que Darragh jouait sans doute un personnage qui était le roi des elfes). I prefer playing football, conclut Fiona. Do you like football, Noah?

Noah hocha la tête.

– Yes, dit-il. I like football.

Et il sourit à sa nouvelle amie. Finalement, elle n'était pas si mal, se dit-il. Mais il n'était pas au bout de ses surprises.

AVENTS
BLOP!

Chapter Four

FUNNY FOOTBALL

Bientôt, la voiture s'immobilisa devant un grand stade vert et la famille descendit, à l'exception de Darragh qui n'avait pas dit un mot de tout le trajet. Fiona prit un grand sac de sport dans le coffre et s'éloigna vers les vestiaires. Le père de Fiona mit un bras autour des épaules de Noah.

– Come on, Noah. I'll explain the rules.

– What's « rules »? demanda Noah qui avait compris que Mr O'Leary voulait lui expliquer quelque chose.

– The rules are what you must and must not

do in a game, dit le père de Fiona. You have to know the rules to play the game.

« Must », c'était un ordre ou une obligation, ils l'avaient vu en cours. C'était plus fort que « to have to », qui marquait également une obligation, mais moins obligatoire que « must ». Une obligation dans un jeu... Soudain, Noah comprit. Mr O'Leary voulait lui expliquer les règles. Mais il connaissait déjà les règles du football.

– I know the rules, dit-il en réutilisant les mêmes mots.

Le père de Fiona eut l'air surpris.

– Do you? Well, fine.

Tandis qu'ils parlaient, ils avaient longé l'un des murs du stade, et à présent ils débouchaient sur le terrain. Noah s'arrêta net. Devant lui, il y avait bien un terrain recouvert d'herbe, mais les lignes blanches tracées sur le sol n'étaient pas à la bonne place, et les buts ressemblaient plutôt à des poteaux de rugby, même s'il y avait bien un filet tiré dans leur partie inférieure. Il désigna le terrain d'un geste d'incompréhension.

– Not football, dit-il, ne trouvant pas comment dire « ce n'est pas un terrain de foot » et se contentant d'un négatif.

Le père de Fiona, cependant, comprit. Et sourit.

– This isn't a football pitch? demanda-t-il en fournissant le bon vocabulaire à Noah qui acquiesça.

– No, this isn't a football pitch, répéta Noah.

– Well, in fact it is, dit Mr O'Leary. It's a Gaelic football pitch.

Noah fronça les sourcils. Il ne savait pas ce que signifiait l'adjectif utilisé pour qualifier ce terrain de foot très particulier.

– Gaelic football, répéta le père de Fiona. In Ireland we have the Gaelic language, an old language our ancestors used to speak, and Gaelic football, an old game our ancestors used to play. It's typically Irish. Do you understand?

Noah hocha la tête. Il avait compris que le « gaélique » était une langue parlée par les ancêtres des Irlandais, et que ce drôle de football était également un sport ancien auquel on jouait avant le football qu'il connaissait. C'était typiquement irlandais.

– Okay. Well the rules aren't really complicated, reprit le père de Fiona. You have to score goals, like in ordinary football, but in Gaelic football you can score a goal in the net (et il montra le filet) or over the top (et il montra la partie supérieure des poteaux au-dessus du but).

Noah regarda le terrain sur lequel les deux équipes se mettaient en formation. S'il avait bien compris, il y avait deux façons de marquer des buts dans un match de football gaélique. Il sentit son cœur se serrer. Il espérait vraiment que Fiona allait marquer plein de buts, en haut ou en bas.

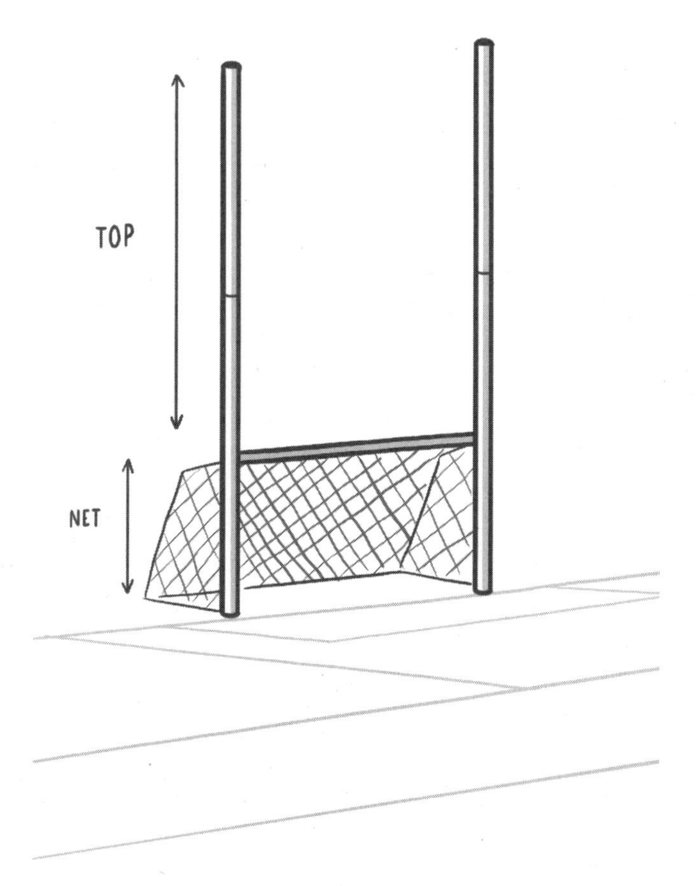
TOP
NET

Chapter Five

THE FUNFAIR

Le football gaélique n'avait pas grand-chose à voir avec son homonyme européen (voire mondial), si ce n'était un ballon et des joueurs. On avait le droit de prendre le ballon dans ses mains, de courir avec, et même de le faire rebondir comme au basket et de pousser les adversaires. Cela ressemblait un peu au rugby, mais sans la mêlée. De plus, Noah avait l'impression qu'il n'y avait pas de hors-jeu. Et ça allait très, très vite. Lors d'une rare accalmie, il posa la question du hors-jeu au père de Fiona, en cherchant ses mots avec difficulté.

– Mr O'Leary, in the game, there is no... when the player is forward another player?

– Forward? demanda son hôte en fronçant les sourcils. Oh, you mean in front of! An off-side. No, there's no offside in Gaelic football.

Puis le jeu reprit, avec Fiona en possession du ballon et qui courait droit vers les poteaux adverses, et son père qui se levait pour hurler ses encouragements.

Fiona marqua trois buts en tout. Elle était plus petite que la plupart des joueuses, mais elle était également plus rapide que la plupart d'entre elles et ne semblait jamais sentir la fatigue. Noah ressentit plein d'admiration pour la petite Irlandaise, qui maintint la pression jusqu'au coup de sifflet final.

L'équipe de Fiona emporta le match par 4 buts et 8 points contre 1 but et 3 points. Noah ne tenta même pas de débrouiller ce système de buts et de points qui dépassait de loin, il en était certain, ses compétences linguistiques.

Par contre, il participa aux félicitations lorsque Fiona les rejoignit près de la voiture.

– You were fast! dit-il en se souvenant de l'anglais pour « rapide ».

C'était comme « fast food » en France, de la nourriture rapide. Niamh éclata de rire.

– Fiona's the fastest player on the team, affirma-t-elle.

Noah fronça les sourcils, puis se souvint que lorsqu'on ajoutait « -est » à un adjectif, ça voulait dire « le plus ». Fiona était donc la joueuse la plus rapide de l'équipe.

– Yes, well, now the fastest player has to have a shower before we go to the funfair, said Fiona.

Noah ne comprit pas ce que la joueuse la plus rapide était censée faire à présent mais, tandis qu'ils remontaient en voiture, Niamh vint à son aide :

– We're going home now, to our house, dit-elle lentement pour qu'il puisse comprendre qu'ils rentraient à la maison. Fiona will have a shower and change. Then we'll go to the funfair.

Et elle imita quelqu'un en train de prendre une douche pour l'aider à saisir le sens de sa phrase. Noah hocha la tête. Fiona allait prendre une douche. Puis ils iraient quelque part. Il n'avait toujours pas compris ce que signifiait le dernier mot, « funfair », mais il était trop fatigué pour demander des explications.

Une heure plus tard, il n'eut plus besoin d'explications. Le bruit de musique venant de toute part, le halo de lumières multicolores, les cris d'excitation et l'odeur de barbe à papa suffirent pour qu'il comprenne quelle était leur destination. La fête foraine !

– It's Saint Patrick's Day, dit Fiona tandis qu'ils s'approchaient des attractions. The patron saint of Ireland. That's why the funfair's here. We won't stay long because there's school tomorrow, but we can have a walk round, and go on the ghost train. Would you like that?

Noah saisit l'essentiel de ce qu'elle venait de dire. C'était la fête de la Saint-Patrick. Ils n'allaient pas rester longtemps, parce qu'ils avaient classe le lendemain. Mais il butait sur certains mots.

– What's « ghost train »? demanda-t-il alors qu'ils dépassaient un stand de tir avec des peluches énormes à gagner si on touchait trois canards en plastique.

– Ghost is a phantom, ooouuh, said Fiona en faisant un bruit effrayant. And a train is, well, a train.

Noah comprit. Le train fantôme ! Ils allaient faire un tour dans le train fantôme. Parfait ! De toute façon, il n'avait absolument pas peur des fantômes.

Seulement, dans ce train, ce n'était pas un fantôme qui l'attendait.

THE GHOST TRAIN
CLIMB ON BOARD IF YOU DARE

Chapter Six

THE GHOST TRAIN

Le train fantôme était visible de loin avec sa façade noire ornée de motifs rouges ou vert fluo. En lettres d'un mètre, au-dessus de l'entrée, on lisait les mots *The Ghost Train* et plus bas, en plus petit, *Climb on board if you dare.*

Noah comprit « climb on board » comme signifiant « montez à bord », mais il ne connaissait pas le dernier mot.

– What's « dare »? he asked Fiona qui fonçait vers le kiosque pour prendre les places.

– « Dare » is when you have the courage to do something, she answered. You do something dangerous because you're brave, courageous… or stupid.

Noah réfléchit. Un verbe qui signifiait « faire quelque chose parce qu'on était courageux ou stupide » ? « Oser », peut-être ? Il faudrait qu'il vérifie en rentrant.

Mr O'Leary s'approcha pour régler le prix des billets, mais à ce moment-là son téléphone portable sonna, et il poussa un grognement de déception.

– Oh no, not now!

But he answered his phone.

– Yes, Tom O'Leary speaking. What? Okay, I'll be right there.

Il raccrocha et se tourna vers sa femme en lui tendant les clefs de la voiture.

– I have to go. You can have the car, I'll take a taxi. Somebody has just stolen two volumes of the *Book of Kells*. The most precious books in all Ireland. The heart of Irish culture!

Il avait à peine prononcé ces derniers mots qu'il était déjà parti.

– Dad's a policeman, said Fiona, looking at Noah's expression. He works for the police. It's his job.

À la troisième phrase, Noah comprit. Le père de Fiona travaillait comme policier et il était obligé de partir, sans doute pour travailler. Mais il n'eut pas le temps de creuser la raison de ce départ rapide. Les voitures du train fantôme étaient avancées, et on leur faisait signe de monter à bord... s'ils osaient.

Ils s'installèrent tous les six dans une seule voiture, trois par banquette, et le train se mit en marche. Ils furent plongés presque immédiatement dans une obscurité totale, tandis que des filaments semblables à des toiles d'araignée leur chatouillaient le visage. À leur passage, une figure de femme rejeta soudain sa capuche pour révéler un crâne dont les yeux fluorescents giclaient de leurs orbites. Les sœurs de Fiona poussèrent des cris, puis d'autres cris encore alors qu'une chauve-souris énorme avec des dents pointues manquait de près leurs cheveux.

Noah, qui était un peu plus grand, sentit une pointe de l'aile de la créature monstrueuse lui frôler la tête. Le train prit alors de la vitesse pour foncer sur un mur de briques qui ne s'écarta qu'à la dernière seconde, laissant place à un cimetière où les morts sortaient plus ou moins rapidement de leurs tombes pour se ruer sur la voiture et ses vulnérables occupants... Noah jeta un coup d'œil à Fiona, assise à ses côtés. Il ne la voyait pas bien, mais elle ne semblait pas avoir peur du tout. Elle souriait presque ! Même lorsqu'un homme qui s'avançait perdit sa tête pour révéler un cou sanguinolent !

Puis ce fut fini, et ils se retrouvèrent dehors avec le bruit et les odeurs de la fête foraine.

– Not bad, said Fiona. But I've seen better.

« Bad », Noah le savait, signifiait « mal ». Pas mal, mais j'ai vu mieux ? Quoi de mieux ?

– What better? demanda-t-il à sa correspondante.

– Ghost trains. I compare them, you see. Every time there's a funfair, I go on the ghost train.

The best ghost train I went on was in Liverpool. That one was really scary.

« Scary »? Ah oui, « qui fait peur ». Comme dans *Scary Movie*, un film que Noah n'avait jamais vu mais dont ses copains parlaient souvent.

– Come on everyone, dit Mrs O'Leary. We have to go home now. School tomorrow! And Noah must be exhausted.

Elle mima la fatigue et le besoin de dormir. Noah hocha la tête. En effet, il était bel et bien épuisé, ne serait-ce que par l'effort de comprendre tout cet anglais !

OVER

Chapter Seven

A STRANGE FIND

Le lendemain matin, Noah se réveilla en se demandant où il se trouvait. Il était dans une chambre inconnue, entouré de posters de joueurs de... football gaélique. Les événements de la veille se bousculèrent dans sa tête, et il se leva rapidement pour aller se doucher. Fiona lui avait laissé sa chambre, avec une salle de bains privée, et comme il n'avait pas le courage de défaire sa valise, il se contenta d'enfiler les vêtements de la veille, laissés sur le sol, au pied du lit. Mais lorsqu'il mit son sweat, un bruit sur le tapis le fit se retourner.

À côté de ses baskets, il y avait un objet en métal qui de toute évidence était tombé de son sweat-shirt. Il se pencha pour le ramasser. Ça ressemblait à un bijou en argent, finement travaillé, avec des arabesques autour d'une croix. Noah le tourna et le retourna dans sa main en se demandant à quoi ça pouvait bien servir.

– Noah, breakfast! Hurry up!

Il reconnut la voix de la mère de Fiona et mit l'objet dans sa poche sans perdre plus de temps.

Le petit déjeuner en Irlande n'avait rien à voir avec celui qu'il mangeait chez lui. Il y avait des céréales, du pain grillé, des œufs brouillés, du bacon frit avec des tomates et des champignons. On lui servit d'office une assiette, et il prit place à la grande table familiale.

– This is not a complete Irish breakfast, said Fiona. But we're in a hurry.

Noah regarda l'assiette, la table, et se demanda ce qu'était un petit déjeuner irlandais complet, si celui-ci ne l'était pas.

– Look, said Fiona. Dad's in the paper.

Elle lui tendit un journal en lui montrant une photo sur laquelle on voyait, en effet, Mr O'Leary en uniforme d'officier de police. Le titre de l'article disait *Gardai on alert after* Book of Kells *theft*.

– The Garda is the name of the police force in Ireland, Fiona explained.

Très bien, la police était donc en alerte à la suite de...

– What's *Book of Kells* theft? asked Noah.

– The *Book of Kells* is an Irish treasure, said Fiona.

Ce livre était un trésor irlandais ? Noah fronça les sourcils pour montrer qu'il n'avait pas bien compris.

– It's a very old book, Fiona explained. It's very valuable, and it's been stolen. Taken.

Elle se pencha vers Noah pour lui prendre sa fourchette qu'elle cacha derrière son dos.

– There. I've stolen your fork, she said. When you steal something, to steal, stole, stolen, it's called a theft. The person who steals something is called a thief. Do you understand?

Noah hocha la tête. Elle lui avait volé sa fourchette. Donc, ce livre d'une grande valeur avait été volé. Il lui semblait qu'il y avait beaucoup de mots en anglais pour dire la même chose. Steal, stolen, theft, thief. Le français était quand même plus simple avec le verbe « voler » à l'infinitif, « volé » au participe passé, « vol » pour l'action et « voleur » pour la personne. Il commença à lire le début de l'article, sans trop d'espoir.

Garda Assistant Commissioner Tom O'Leary commented on the theft of the Book of Kells *from Trinity College Dublin's Old Library yesterday as being the Gardai's number one priority. The police force is on alert and the inquiry is advancing well.*

Noah fut étonné de constater qu'il pouvait comprendre pas mal de choses – le vol dans une vieille librairie la veille, priorité numéro un, les forces de police en alerte et l'enquête qui avance – mais sa lecture fut rapidement interrompue par la mère de Fiona.

– Time to go, Noah. Hurry up, or you'll be late.

Sans avoir fini ni l'article ni son assiette, il suivit les autres jusqu'à la voiture.

Chapter Eight

THE *BOOK OF KELLS*

Ils retournèrent dans la salle où ils avaient été accueillis la veille, appelée « assembly hall » en anglais. Noah fut soulagé d'entendre de nouveau parler français, mais il s'assit néanmoins à côté de Fiona. Pendant que le principal faisait un nouveau discours de bienvenue, il lui montra l'objet métallique qui était tombé de son sweat-shirt.

– Look. I find this in my sweat-shirt this morning.

– You found that in your sweat-shirt? asked Fiona, surprised.

She looked at the metal object.

– This looks really old, she said. How did it get in your sweat-shirt?

– In the ghost train, said Noah.

Il s'était rappelé la sensation bizarre qu'il avait éprouvée quand la chauve-souris l'avait frôlé. En y repensant, il avait eu l'impression que quelque chose lui était tombé dessus. L'objet avait dû atterrir dans sa capuche. Comment disait-on « capuche » en anglais ?

– In this, he said en montrant sa capuche. When the... (il mima un animal en train de voler, puis se souvint d'un mot qui devrait faire l'affaire) vampire comes...

– When the vampire bat flew over us? asked Fiona, helping him. It fell into your hood?

Noah hocha la tête, même s'il n'était pas bien certain d'avoir compris la reformulation. Apparemment, « hood » voulait dire « capuche ».

– What is this? he asked, pointing at the metal object.

– I don't know, said Fiona. But I've got an idea.

Elle avait une idée. C'était déjà un bon début.

Noah accompagna Fiona à son cours de maths, puis à son cours de biologie, puis ce fut la récré. Les autres sortirent dans la cour, mais Fiona l'entraîna aussitôt dans l'autre sens.

– We have to go to the library, she said.

Dans une librairie ? Noah ne voyait pas comment ils allaient sortir du collège, mais il se contenta de la suivre, puisqu'elle semblait savoir où elle allait. Cependant, quand Fiona poussa la porte du CDI, il comprit son erreur. « Library » devait être un de ces fameux faux amis, des mots qui ressemblaient au français mais qui ne voulaient pas dire la même chose. « Library » ne désignait pas une librairie, mais une bibliothèque !

– Come on, said Fiona, going towards the computers. We have to find the website.

Les ordinateurs semblaient être en libre service. Fiona s'assit devant un écran, tapa un login et un mot de passe, puis se connecta à Internet. Elle entra *Book of Kells* dans la barre de recherche.

Très vite, Noah vit apparaître une page web avec des photos de cet ancien livre si précieux et des photos de la vieille bibliothèque (« library ») où l'ouvrage aurait dû se trouver si quelqu'un ne l'avait pas volé.

– Trinity College Dublin is a university, Fiona explained. The *Book of Kells* is in the university library. But what I need is a photo of the cover of the *Book of Kells*.

Elle avait besoin de quoi ? « Cover » ? « Couverture » ? Gagné ! Noah vit s'afficher une photo d'une vieille couverture en cuir recouverte de protections métalliques qui ressemblaient étonnamment à l'objet qui avait échoué dans sa capuche.

– Look, said Fiona with excitement. It's the clasp.

Noah se pencha vers l'écran de l'ordinateur. En effet, l'objet lâché au-dessus de sa tête par la chauve-souris géante était bel et bien le fermoir du livre. Mais comment... ?

– We have to tell my dad, she said.

Then she stopped.

– No. First we have to be sure. As soon as school's finished, we'll go back to the funfair and see what we can find.

Noah n'en croyait pas ses oreilles. Elle ne voulait pas alerter son père avant d'être sûre de tenir une piste ? Elle voulait retourner à la fête foraine dès la fin des cours ? Il se demandait si un correspondant garçon aurait osé en faire autant... Tout compte fait, il n'était pas du tout déçu par Fiona.

46

Chapter Nine

BACK TO THE FAIR

Noah passa le reste de la journée dans un état qui oscillait entre l'excitation et l'appréhension. Fiona, elle, semblait entièrement concentrée sur son objectif: digne fille de son père, elle allait retrouver les livres volés. En regardant de près le site web consacré au *Book of Kells*, Noah avait compris que le livre était en fait composé de quatre volumes, dont les deux premiers avaient été dérobés avant que le système d'alarme ne fasse déguerpir les voleurs.

Dès que le dernier cours prit fin, Fiona l'entraîna vers l'arrêt de bus en expliquant qu'elle avait téléphoné à sa mère pour l'avertir qu'ils rentreraient un peu plus tard, parce qu'elle voulait lui montrer comment jouer au football gaélique.

– But it's not...

Il hésita, ne sachant pas comment dire que c'était un mensonge, que ce n'était pas vrai.

– It's not true? proposed Fiona. I'll explain how to play Gaelic football on the bus. That way, it will be true.

Noah didn't insist.

The bus took ten minutes to arrive at the funfair. The sun was shining, but it was cold. Noah serra son blouson autour de lui en arrivant à la fête foraine. Il était encore tôt, et aucun des manèges ne fonctionnait, même si les forains commençaient à s'affairer tout autour. Noah suivit Fiona vers le train fantôme, mais elle ne se dirigea pas vers l'entrée de l'attraction.

– We have to find another entrance, she said. So they don't see us.

Noah comprit. On ne devait pas les voir.

Ils contournèrent le manège et se faufilèrent derrière l'impressionnante structure. C'était presque aussi grand qu'un hangar et, comme dans un hangar, il y avait une petite porte à l'arrière. Fiona tourna la poignée, ce n'était pas fermé à clef.

– We're in luck! she said quietly.

Noah baissa également la voix pour demander :

– What we look for?

– What are we looking for, Fiona corrected. We're looking for something at the top, at the place where the vampire bat flies.

Et elle montra du doigt le haut de la construction pour que Noah comprenne qu'ils devaient chercher en haut, là où la chauve-souris se tenait avant de descendre sur les passagers du train. Cette fois, le plan de Fiona était parfaitement clair pour Noah. Comment disait-on « avoir raison » ? Ah oui, « right », comme dans les exercices « vrai ou faux » qui, en anglais, s'appelaient « true/false » or « right/wrong ». « C'est vrai », « that's true », « you're right », « tu as raison ».

– You're right, he said. The book is perhaps at the top...

– But the person who put the book at the top didn't know there was a vampire bat, Fiona said. So the vampire bat pushes the book, and the clasp falls... into your sweat-shirt.

Mais Noah prévoyait une nouvelle difficulté.

– How we go at the top? he asked.

– How do we get up to the top? Fiona reformulated. We climb up.

Et elle mima l'acte de monter à une échelle.

– Come on. And be quiet!

Noah n'avait pas besoin qu'elle lui dise de ne pas faire de bruit. Cela lui semblait aller de soi.

Ils entrèrent dans le manège et attendirent que leurs yeux s'habituent à l'obscurité. Après une minute ou deux, ils purent distinguer l'échafaudage qui maintenait toute l'infrastructure en place. Fiona donna un coup de coude à Noah pour lui montrer une sorte d'échelle à laquelle on pouvait grimper.

– Come on, she said.

Noah gravit les échelons derrière la jeune fille. Ils atteignirent une poutrelle métallique perchée à plusieurs mètres du sol, qui ressemblait un peu à celles de la tour Eiffel. Sur la poutrelle étaient accrochés des projecteurs, des haut-parleurs et des poulies reliées à des moteurs. Ils avancèrent à quatre pattes jusqu'à se retrouver nez à nez avec une grosse chauve-souris en tissu qui n'avait plus rien d'effrayant.

– Look! said Fiona very quietly. The books!

En effet, légèrement sur leur gauche, ils pouvaient distinguer les deux volumes, pareils à ceux des photos consultées sur le site.

– Hurry up! said Noah. We have to take them to the Garda.

Mais à ce moment-là ils virent un rayon de lumière. La petite porte par laquelle ils étaient passés venait de s'ouvrir à nouveau, et deux hommes entrèrent dans le manège. Fiona et Noah échangèrent un regard effrayé. Ils étaient pris au piège !

Chapter Ten

BOOKBALL

– I'll climb down, said Fiona. You throw me the books (elle mima l'acte de lancer quelque chose vers le bas) and I'll run to the police.

Noah imagina Fiona en train de courir seule, encombrée de deux énormes livres et poursuivie par deux hommes, et il secoua la tête.

– No. I throw them, then I get down and we two run to the police with one book for you and one book for me.

– Okay, said Fiona. But hurry up!

She climbed down. Noah took one book and threw it to her. Fiona l'attrapa sans problème.

Ils entendirent les hommes qui s'avançaient derrière elle.

– I can't see a thing, said one man. Don't they have any lights in this place?

Noah threw the second book. Fiona caught it like a ball in Gaelic football. She had the two books. Noah climbed down as fast as possible.

Noah entraîna Fiona vers les cloisons métalliques du manège, là où l'obscurité était la plus épaisse. Les deux jeunes passèrent derrière le personnage de femme avec un crâne de mort-vivant à la place de la tête. De l'autre côté du hangar, une lumière éclaira soudain les ténèbres. Les hommes avaient allumé une lampe torche.

– It's over here, said one man.

Il s'était rapproché, il fallait à tout prix partir de là.

– We have to find another way out, said Fiona quietly. If we go back to the door, they'll see us.

« Way out »? Noah savait qu'il avait déjà vu ces mots... Ah oui, au collège, pour indiquer les sorties. Il fallait trouver une autre sortie pour éviter de se faire repérer par les deux hommes. Tout à fait d'accord. Soudain, il eut une idée. La femme à la tête de mort était la première figure horrible qu'ils avaient vue lorsqu'ils étaient dans le train fantôme. S'ils suivaient les rails du train, ils parviendraient à la sortie.

– If we follow the train, we find the way out, dit-il à Fiona.

– What train? asked Fiona. There isn't any train.

Noah lui montra les rails sur le sol, mais Fiona avait parlé trop fort.

– What was that? asked one man. I heard a voice.

– It's just kids outside, said the other man. Come on, let's get these books out of here.

Noah prit la main de Fiona et l'entraîna le long des rails. L'entrée de l'attraction était protégée par d'épaisses lamelles de caoutchouc qui s'écartaient pour laisser passer les wagons, puis se refermaient pour empêcher la lumière de pénétrer. Le garçon sentit soudain les lamelles devant sa main tendue et les fit coulisser pour se glisser dehors. Un flot de lumière fit irruption dans le manège et éclaira Fiona.

– What's that? cried one of the men.

He saw Fiona and shouted:

– She's got the books! Stop her!

Fiona se mit à courir. Elle tenait encore les deux livres sous le bras.

– Throw me a book, cried Noah.

– No, said Fiona. I can run fastest. The men will follow me because they didn't see you. You must go and get my father. The Gardai are left of the entrance (et elle indiqua une direction sur sa gauche). There's a blue sign up over the door.

Et elle se mit à courir sans plus attendre. Le cerveau de Noah faisait des heures supplémentaires. Il devait aller chez les Gardai, à gauche de l'entrée de la fête foraine, une porte avec un signe bleu ? Chercher le père de Fiona ? Oui, c'était logique. Les hommes avaient vu Fiona, mais pas lui.

Fiona ran to the right, and the men followed her. Noah ran past the hotdog stands. He was near the entrance. Behind the hamburger stand, he saw Fiona run with the two books held like a Gaelic football. He heard the man shout:

– Stop the girl!

Nobody had seen him. He reached the entrance and looked for Fiona. She was behind him. The men were behind Fiona. They were going to catch her!

– Throw me the books! shouted Noah.

Fiona threw the books and Noah caught them like a Gaelic football.

Un des hommes qui suivaient Fiona lança sa lampe torche qui frappa la jeune fille juste derrière le genou. Elle poussa un cri et tomba en avant.

Noah ran out of the funfair. He turned left and saw the blue sign over the door of the Garda station. He ran right in through the door with the two volumes of the *Book of Kells* like a football.

– Hurry up! he shouted. We have to help Fiona!

GARDA
OFFICER

Chapter Eleven

FUN AND FAIR PEOPLE

Le père de Fiona sortit de son bureau en entendant la voix de Noah. He looked at Noah, then at the two books under Noah's arm.

– What are you doing with those books? he asked. Those are part of the *Book of Kells* that were stolen!

Noah aurait bien aimé tout expliquer, mais il y avait une autre urgence : sauver Fiona.

– We have to help Fiona! he said. We have to hurry. She is...

Il s'arrêta, ne sachant pas comment dire que son amie était pourchassée par les voleurs.

Soudain, il décida que ce n'était pas la peine de discuter. Il fallait agir. Sans lâcher les livres, il fit demi-tour et se dirigea vers la sortie.

– Stop! shouted Fiona's father. Come back!

Mais Noah n'avait aucune intention de revenir. Il serra les livres sous son bras, sortit du poste de police et se mit à courir en direction de la fête foraine. Derrière lui, il entendit Mr O'Leary appeler ses hommes.

– Stop him! Quickly!

Noah courut comme il n'avait jamais couru de sa vie. Il était très inquiet pour Fiona, sachant que les deux malfaiteurs allaient forcément la rattraper. Il ne fallait pas perdre de temps. Il jeta un coup d'œil par-dessus son épaule et vit plusieurs policiers lancés à sa poursuite. He ran into the funfair. Fiona was not at the entrance, but he saw two men taking her towards the ghost train. He ran even faster. He shouted:

– Fiona!

His correspondent looked and saw him. The two men looked and saw him. Then they saw all the policemen and they stopped taking Fiona and ran. Fiona shouted:

– Those men stole the *Book of Kells*! They are the thieves! Stop them!

En entendant crier Fiona, tous les forains sortirent de leurs stands et se mirent à courir après les deux hommes. Ils n'avaient pas l'air contents du tout. Ils les rattrapèrent très vite et les immobilisèrent en attendant que les policiers arrivent à leur hauteur. Un des forains expliqua aux policiers :

– These men are not from the funfair. We are fair people, we're not thieves. We're here so people can have fun and enjoy themselves.

The policemen arrested the two men. Noah looked at Fiona. She was very happy to see him.

– Thank you, Noah, you were perfect. You ran so fast!

Fiona's father arrived.

– Fiona, what's all this? he asked. Where did you find the books?

– It was Noah, said Fiona. He found a metal object in his sweat-shirt hood and he said it had fallen on him when we were in the ghost train. And the object reminded me of the *Book of Kells*. So we looked on the Internet and found a picture of the cover of one of the books with a clasp to close it. It was exactly the same as the object Noah had found.

– So we wanted to make sure the books were in the ghost train, said Noah.

– And you nearly got yourselves caught by the thieves, said Fiona's father.

– What's « caught »? asked Noah.

Le père de Fiona attrapa Noah par son sweat-shirt.

– That's caught, he said. You were nearly caught by dangerous thieves. You should have come to me. Children must not resolve mysteries. They must tell the police.

But then he smiled.

– Well done, Noah! You've done a very good job! Thank you for helping to get the *Book of*

Kells back. All Ireland will want to thank you and Fiona. Especially the Mayor of Dublin.

Noah se sentit très fier. Toute l'Irlande et en particulier le maire de Dublin auraient à cœur de les remercier.

Fiona's father took the two books from Noah and smiled again.

– Now we'll take the two books back to Trinity College Dublin, and then you two can go home and have some tea.

Book of Kells

Chapter Twelve

TRUE FRIENDS

Two days later, Noah was in the Old Library in Trinity College Dublin. The two volumes of the *Book of Kells* were back in the library. They were back in the cabinet that presented them to the public.

Noah and Fiona were in the front with Mr O'Leary. The Mayor of Dublin was there too. He moved to the microphone and said:

– Ladies and gentlemen, I am very happy to give these young people the key of the City of Dublin. Thanks to their courage, the *Book of Kells* is now back in this library where it belongs.

Then he looked at Noah and took a metal object from his assistant. Noah looked at the object. It was a key that looked like the clasp from the cover of the *Book of Kells*.

– Noah Picard, I hereby give you the key of the City of Dublin in reward for your bravery in protecting the heritage of Ireland, he said.

Then he gave the key to Noah, and looked at Fiona.

– Fiona O'Leary, I hereby give you the key of the City of Dublin in reward for your bravery in protecting the heritage of Ireland, the mayor repeated.

And he gave another key to Fiona.

The assistant gave Noah the microphone, and Noah understood that he had to say something.

– Thank you very much, he said. Thank you, Mr O'Leary, for helping me save Fiona. And thank you to Ireland for Gaelic football.

Everybody in the audience applauded. Mrs O'Leary was there with Saoirse, Niamh and Darragh. They were all applauding and smiling.

Mr McLuckie, Noah's English teacher, was there too, and Noah's friends from school. Fiona took the microphone.

– I would like to say thank you to Noah, she said. Not only did he accept to help me find the books, but he also proved his talent as a player of Gaelic football. In France, of course, they only play football with their feet, but Noah had to catch the books and run with them. And he came back for me, she added. He's a true friend. I hope we'll be best friends for the rest of our lives.

Noah saw the journalists taking photos. They wanted to interview him. The following morning, his photo would be in the paper, accompanied by an article telling all about how Fiona and he had saved the *Book of Kells*.

THE IRISH TIMES
BOOK OF KELLS HEROES!

L’auteur

Stéphanie Benson est née à Londres en 1959. Arrivée en France en 1981, elle publie son premier roman pour adultes en 1995, puis se lance dans le roman policier jeunesse aux éditions Syros (*L’Inconnue dans la maison*, *La Disparue de la 6e B*, *Une Épine dans le pied*, *Shooting Star*...).

Aujourd’hui auteur de plus de cinquante romans pour petits et grands (dont la série *Epicur* au Seuil), elle écrit également des nouvelles, de la poésie, ainsi que des pièces de théâtre dont des pièces radiophoniques pour France Inter et France Culture, et des scénarios pour la télévision.

Parallèlement à sa vie d’auteur, elle est Maître de Conférences en anglais et didactique à l’Université Bordeaux-Montaigne.

Pour choisir son roman Tip Tongue

/ 8-10 ANS / DÈS LE CE2-CM1-CM2 / A1 INTRODUCTIF

• ANGLAIS

Jeanne et le London Mystery
CLAUDINE AUBRUN
ET STÉPHANIE BENSON
LONDRES (Angleterre)

Florimond à la recherche du Oxford Treasure
YVES GREVET
OXFORD (Angleterre)

Blanche-Neige et la Magic Frog
STÉPHANIE BENSON

Boucles d'Or et les Strange Bears
STÉPHANIE BENSON

Valentin et les Scottish Secret Agents
CLAUDINE AUBRUN
ET STÉPHANIE BENSON
ÉDIMBOURG (Écosse)

Jeanne et le Fake London Manuscript
CLAUDINE AUBRUN
ET STÉPHANIE BENSON
LONDRES (Angleterre)

☺☺☺☺ / 10-12 ANS / DÈS LE CM2-6e-5e / A1 DÉCOUVERTE

• ANGLAIS

Hannah et le trésor du Dangerous Elf
STÉPHANIE BENSON
DERRY (Irlande)

Tom et le secret du Haunted Castle
STÉPHANIE BENSON
AIRTH (Écosse)

Noah et l'énigme du Ghost Train
STÉPHANIE BENSON
DUBLIN (Irlande)

Qui a vu le Phantom of the Opera?
CARINA ROZENFELD
SYDNEY (Australie)

La malédiction du Welsh Red Dragon
STÉPHANIE BENSON
ABERGAVENNY (Pays de Galles)

Wiggins, Sherlock et le Mysterious Poison
BÉATRICE NICODÈME
LONDRES FIN XIXe

• ALLEMAND

Martin et la Mysteriöse Kreatur
ROLAND FUENTÈS
MITTENWALD, HEIDELBERG (Allemagne)

Quatre fantômes im neuen Berlin
ROLAND FUENTÈS
BERLIN (Allemagne)

• ESPAGNOL

Thomas et le misterio Dalí
GILLES FONTAINE
CADAQUÉS (Espagne)

☺☺☺☺ / 12-14 ANS / DÈS LA 5e-4e-3e / A2 INTERMÉDIAIRE

• ANGLAIS

Peter et le mystère du Headless Man
STÉPHANIE BENSON
SAINT STEPHEN (Angleterre)

Lilith et la vengeance du Dark Magician
STÉPHANIE BENSON
LONDRES (Angleterre)

Alex et le rêve de la New York Star
STÉPHANIE BENSON ET JAKE LAMAR
NEW YORK (États-Unis)

Hélène et les Disappearing Gamers
NICOLAS LABARRE
PARIS (France)

Lucas et la Chick Team
MAÏTÉ BERNARD
NASHVILLE (États-Unis)

Zoé et l'élixir of Eternal Life
HERVÉ JUBERT
BRIGHTON (Angleterre)

• ALLEMAND

Emma et la japanische Mangaka
ISABELLE COLLOMBAT
LEIPZIG (Allemagne)

Mathéo et la tolle Mädchen
MYRIAM GALLOT
FRANCFORT-LANDENBURG (Allemagne)

• ESPAGNOL

Benoît et la bande de los Moteros
MAÏTÉ BERNARD
IBIZA (Espagne)

Tournage al Alcázar de Sevilla
LAURENCE SCHAACK
SÉVILLE (Espagne)

Je suis un verdadero Argentino !
LAURENCE SCHAACK
BUENOS AIRES (Argentine)

☺☺☺☺ / 14-16 ANS / Dès la 3e-2nde-1re / B1 SEUIL

• ANGLAIS

Hidden Agenda
CHRISTOPHE LAMBERT ET SAM VANSTEEN
SAN FRANCISCO (États-Unis)

La traversée du Time Tunnel
STÉPHANIE BENSON
EPSOM (Angleterre)

Dylan Dilemma
STÉPHANIE BENSON
NEW YORK (États-Unis)

Découvrez aussi...

8-10 ANS
DÈS LE CE2-CM1-CM2
A1 INTRODUCTIF

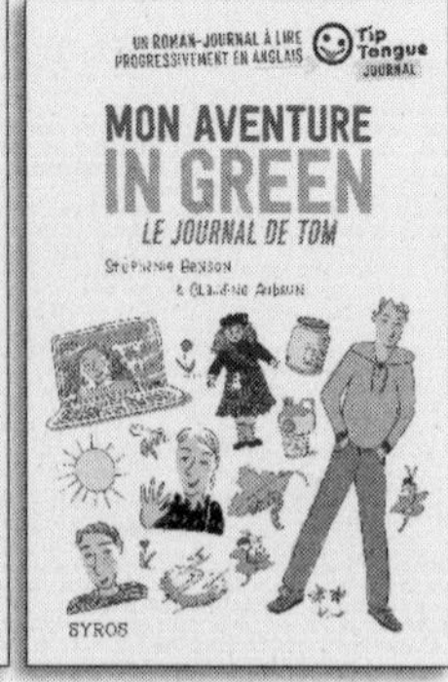

10-12 ANS
DÈS LE CM2-6e-5e
A1 DÉCOUVERTE

Des romans dessinés qui passent petit à petit en anglais.

ET SI TOI AUSSI TU ÉCRIVAIS UN JOURNAL IN ENGLISH?

12-14 ANS
DÈS LA 5e-4e-3e
A2 INTERMÉDIAIRE

14-16 ANS
Dès la 3e-2nde-1re
B1 SEUIL

Loi n° 49-956 du 16 juillet 1949
sur les publications destinées à la jeunesse,
modifiée par la loi n° 2011-525 du 17 mai 2011.

Mise en pages : DV Arts Graphiques à La Rochelle
N° éditeur : 10263319 – Dépôt légal : mars 2015
Achevé d'imprimer en mars 2020
par Jouve-Print (53100, Mayenne, France).
N° impression : 2953082B